ピアノコレクションズ
ファイナルファンタジーVII

P9-BJK-970

Piano Collections ●FINAL FANTASY VII

Composed & Produced by Nobuo Uematsu
Arranged by Shiro Hamaguchi

YAMAHA

はじめに

ファイナルファンタジーⅦから13曲がピアノ曲になりました。ほっとするきれいなメロディーの癒し系の曲から、技巧を必要とする激しい戦いの曲まで、新たな世界が広がっています。全部を弾ききるのは決して楽なことではありませんが、ひとつひとつの曲に、ピアノ表現の無限の可能性がこめられています。さあ、あなたもまた新たなFFⅦの世界を求めて、チャレンジしてみてください。きっとまた新たな出会いがあるはずです。

本田聖嗣

2003年10月

CONTENTS

Staff Profile

Composer

植松伸夫（Nobuo Uematsu）

作曲家・プロデューサー。1959年生。高知県出身。

神奈川大学卒業後、CM音楽制作などを経て、1986年株式会社スクウェア（現、（株）スクウェア・エニックス）入社。以後、「ファイナルファンタジー」シリーズをはじめ、約30作のゲーム音楽を手掛ける。最新のゲーム音楽作品は、主題歌にささきいさおを起用した「半熟英雄 対 3D」（2003年6月発売）。アジアの歌姫「フェイ・ウォン」をフィーチャーし、植松自身が作曲・プロデュースを担当した「ファイナルファンタジー VIII」のテーマ曲「Eyes On Me」は40万枚のセールスを記録。1999年度・第14回日本ゴールドディスク大賞で、"ソング オブ ザ イヤー（洋楽）"を受賞（ゲーム音楽では初のソング オブ ザ イヤー受賞曲であり、注目を集めた）。ゲーム音楽はもちろんのこと、他の音楽ジャンルにおいても活躍中。現在は、（株）スクウェア・エニックス　植松プロダクション所属。

Arranger（For Piano）

浜口史郎（Shiro Hamaguchi）

作・編曲家。1969年生。東京藝術大学音楽学部作曲科卒業。

1997年より作・編曲活動開始、TV・映画のアニメーションのBGMを手掛ける。最近作には、劇場用アニメーション「ああっ女神さまっ」「ワンピース THE MOVIE デッドエンドの冒険」「ぼくの孫悟空」等の作曲。「ファイナルファンタジー」シリーズでは、オーケストラアレンジ、ピアノアレンジの他、テレビアニメ「ファイナルファンタジー：アンリミテッド」の作・編曲、「Eyes On Me／フェイ・ウォン」「Melodies of Life／白鳥英美子」「素敵だね／RIKKI」の編曲にたずさわる。

Performer（Player／CD）

本田聖嗣（Seiji Honda）

ピアニスト。1970年生。東京藝術大学ピアノ科卒業。

東京藝術大学を経てパリの国立高等音楽院に学び、ミシェル・ベロフ、ジェラール・フレミー、クリスチャン・イヴァルディー氏らに師事。同音楽院を最優秀賞を得て卒業した。1995年、第1回メドック・アキテーヌ国際ピアノコンクールにて、審査委員長アダ・ラベック賞を受賞。同年、第18回サレルノ市国際ピアノコンクールでは最高位を受賞するなど、主に海外を中心に独奏家、室内楽奏者として活躍。2000年からは、日本でも本格的な活動を開始し、ソロリサイタル、室内楽と一連の「馥郁たるパリの香り」シリーズを行い、好評を博している。2003年2月にはオクタヴィアレコードより同タイトルで初の日本でのCDを発売した。

演奏のポイント

1. ティファのテーマ

とてもきれいなイントロから始まります。ぜひそれぞれの和音を感じて弾いてください。「幼馴染」というティファのキャラクターをあらわす主旋律は十分に歌って。中間部で盛り上がりますが、また主題が戻り静かに終わるところでは、やさしさを表現してください。

2. F.F. VII メインテーマ

広々とした世界を感じさせる曲です。決して速く弾きはじめないことです。左手は難しいですが、粒がそろうように弾くととても右手が引き立ちます。右手の長い旋律が、あたかも見えない地平線を望んでいるような感じを与えることができればよいでしょう。

3. シンコ・デ・チョコボ

チョコボのユーモラスなキャラクターをシンコ（スペイン語で数字の5のことです）の拍子に乗せてリズミカルに弾きます。ペダルは少なくして歯切れよく、また軽い音とテヌートで弾く音をしっかり区別して弾いてください。途中の不思議な和音のところでは少しゆっくりとしますが、また最後には明るく、楽しく、弾き終わりましょう。

4. 旅の途中で

激しい戦いが続く中、村の中で暫しの休息です。全体がリラックスした雰囲気に包まれるように。聴き終わるころには聴いている人が眠れるぐらい……と想像してみると楽しくありませんか？

5. 闘う者達

次々と迫り来る敵との戦いのシーンです。技巧的に大変難しい曲ですが、まず、速く弾き過ぎないこと。ゆっくり、しかし確実に音をつかんでいき、スタッカートの鋭い音を出すように心がけましょう。繰り返し後は霧の中から戻ってくるように。現代音楽風のコーダはだんだんに速くなって最後はプレスティッシモで終わります。

6. 星降る峡谷

原曲とは違った感じの落ち着いたバラードになっています。イントロはあくまで左手の上の音がメロディー、その後の4度の和音もソプラノをしっかり出してメロディーが聴こえるように心がけましょう。峡谷をながめるノスタルジーだけでなく、「星が降ってくるような」クライマックスも聴かせたいものです。

7. ゴールドソーサー

左手の軽快なスタッカートが重要です。軽く弾ければ、右のメロディーもきっとうまく弾けます。中間部の16分音符の部分もあわせて、左手から練習してみましょう。ペダルを踏みすぎないことも、軽さを出すために必要なことです。

8. ルーファウス歓迎式典

社長就任の場面の行進曲ですが、どこかユーモラスな曲です。全体を歯切れよくスタッカートで弾きましょう。繰り返しの後からオクターブの難しいパッセージが *ff* で出てきすので、くれぐれも前半は大きく弾き過ぎないことです。

9. J-E-N-O-V-A

Presto とありますが、しっかりそれぞれの音を弾くことを気を付けて、速く始めすぎないことが重要です。**Coda** の部分までは左手がアグレッシブな動きを演出します。それに乗せる右手は長いフレーズを感じさせるように弾きましょう。3段譜になる **Coda** の部分は、逆に右手がリズムを刻みますが、このテンポが決して崩れないように注意してください。最後までハイ・テンションで弾ききりましょう！

10. エアリスのテーマ

イントロは透明感のある響き、そして、メロディーが出てきたらとても感情を込めて弾きましょう。右手はメロディーとそれ以外の音色を変えることに気を付けて。最後は何か別れを惜しむような感情を表現できたら最高です。

11. 牧場の少年

スペインの片田舎を連想させるようなのどかな感じの曲になっています。右で始まった旋律がところどころ左にバトンタッチされます。鄙（ひな）びた感じの左の和音を味わいながら、メロディーを追って行くと、牧場の情景がほら……見えてくるでしょう？

12. 片翼の天使

最強の敵、セフィロスとの戦いです。ミリタリーマーチ風に **Allegro** で決然と始めます。この時テンポがだれないようにするのがコツです。「ファ・ファ・レ」という部分は合唱で「セ・フィ・ロス」を表現します。宿命と厳格さを兼ね備えたオルガンのような響きを心がけましょう。左手の音階や6連符等々、難しいところがありますが、いつでもイン・テンポ！です。静かな部分も決して速さを変えずに強弱だけ。最後はすべての要素を盛り込んで、*fff* のクライマックスが来ますが、ここでも運命は容赦なくアレグロで進んでいきます。

13. 忍びの末裔

軽快にスイングしながら弾きましょう。楽譜を注意深く見て、どの音がレガートでどれがスタッカートか、そして何処にアクセントがあるかを、しっかり確認してください。あとはあなたのセンスで、最後のお茶目なこの曲を味付けしてください！

（解説：本田聖嗣）

ティファのテーマ

Composed by NOBUO UEMATSU/Arranged by SHIRO HAMAGUCHI

F.F.Ⅶ メインテーマ

Composed by NOBUO UEMATSU/Arranged by SHIRO HAMAGUCHI

Poco meno mosso

シンコ・デ・チョコボ

Composed by NOBUO UEMATSU/Arranged by SHIRO HAMAGUCHI

旅の途中で

Composed by NOBUO UEMATSU/Arranged by SHIRO HAMAGUCHI

闘う者達

Composed by NOBUO UEMATSU/Arranged by SHIRO HAMAGUCHI

星降る峡谷

Composed by NOBUO UEMATSU/Arranged by SHIRO HAMAGUCHI

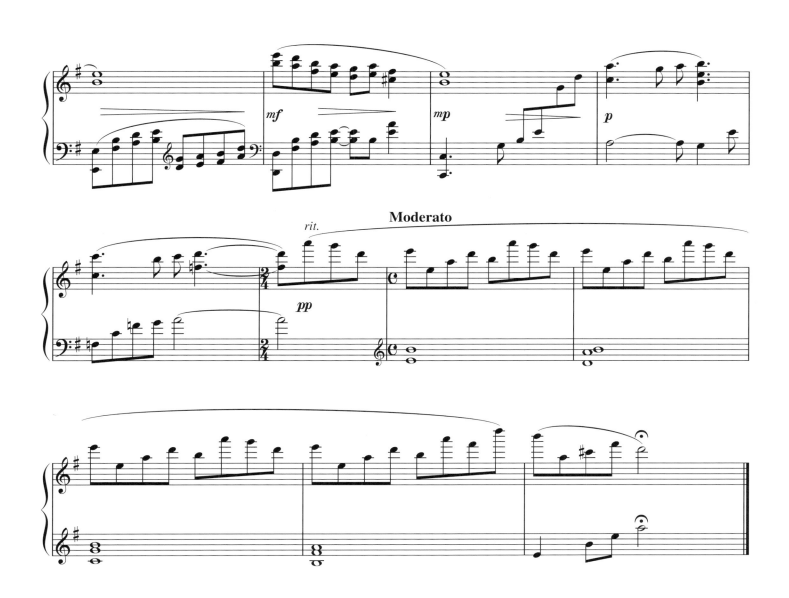

ゴールドソーサー

Composed by NOBUO UEMATSU/Arranged by SHIRO HAMAGUCHI

牧場の少年

Composed by NOBUO UEMATSU/Arranged by SHIRO HAMAGUCHI

ルーファウス歓迎式典

Composed by NOBUO UEMATSU/Arranged by SHIRO HAMAGUCHI

J-E-N-O-V-A

Composed by NOBUO UEMATSU/Arranged by SHIRO HAMAGUCHI

51

エアリスのテーマ

Composed by NOBUO UEMATSU/Arranged by SHIRO HAMAGUCHI

片翼の天使

Composed by NOBUO UEMATSU/Arranged by SHIRO HAMAGUCHI

忍びの末裔

Composed by NOBUO UEMATSU/Arranged by SHIRO HAMAGUCHI

ピアノで楽しむ ゲームミュージック

ファイナルファンタジー

ピアノソロ
ファイナルファンタジー／スーパー・ベスト
定価[本体3,000円+税]
注文番号 GTP01097692　ISBN 978-4-636-97692-2
[曲目]チョコボのテーマ／はるかなる故郷／プレリュード／闘う者達／エアリスのテーマ／Blue Fields／Julia／Eyes On Me／Melodies Of Life／ザナルカンドにて／素敵だね／Mhaura／久遠〜光と波の記憶〜／閃光／交響詩「希望」第1楽章 序章／他 全85曲

ピアノソロ
ファイナルファンタジーⅦ〜ⅩⅢ／ピアノ・コレクションズ・ベスト
定価[本体2,600円+税]
注文番号 GTP01089714　ISBN 978-4-636-89714-2
[曲目]ティファのテーマ／F.F.Ⅶ メインテーマ／旅の途中で／闘う者達／エアリスのテーマ／Blue Fields／Eyes On Me／Ami／Fisherman's Horizon／Find Your Way／永遠の豊穣 Eternal Harvest／いつか帰るところ／独りじゃない／ローズ・オブ・メイ／Melodies Of Life／ザナルカンドにて／他 全40曲

ピアノコレクションズ
ファイナルファンタジーⅦ
定価[本体1,800円+税]
注文番号 GTP01096423　ISBN 978-4-636-96423-3
[曲目]ティファのテーマ／F.F.Ⅶメインテーマ／シンコ・デ・チョコボ／旅の途中で／闘う者達／星降る峡谷／ゴールドソーサー／牧場の少年／ルーファウス歓迎式典／J-E-N-O-V-A／エアリスのテーマ／片翼の天使／忍びの末裔／全13曲

ピアノソロ
ファイナルファンタジーⅦ ADVENT CHILDREN
定価[本体1,900円+税]
注文番号 GTP01097690　ISBN 978-4-636-97690-8
[曲目]Opening／約束の地 〜The Promised Land〜／Beyond The Wasteland／Sign／ティファのテーマ [Piano Version]／For the Reunion／闘う者達 [Piano Vertion]／Water／エアリスのテーマ [Piano Version]／再臨:片翼の天使〜Advent:One-Winged Angel〜／Cloud Smiles／全11曲

ピアノコレクションズ
ファイナルファンタジーⅧ
定価[本体1,800円+税]
注文番号 GTP01096367　ISBN 978-4-636-96367-0
[曲目]Blue Fields／Eyes On Me／Fisherman's Horizon／SUCCESSION OF WITCHES／Ami／Shuffle or Boogie／Find Your Way／The Oath／Silence and Motion／The Castle／The Successor／Ending Theme／Side Show Part 2／全13曲

ピアノコレクションズ
ファイナルファンタジーⅨ
定価[本体1,800円+税]
注文番号 GTP01096420　ISBN 978-4-636-96420-2
[曲目]いつか帰るところ／Vamo' alla flamenco／辺境の村 ダリ／眠らない街トレノ／永遠の豊穣 Eternal Harvest／ローズ・オブ・メイ／とどかぬ想い／隠者の書庫 ダゲレオ／魂無き村 ブラン・バル／独りじゃない／消えぬ悲しみ／メドレー:盗めぬ二人の心〜その扉の向こうに／他 全14曲

ピアノコレクションズ
ファイナルファンタジーⅩ
定価[本体1,800円+税]
注文番号 GTP01096421　ISBN 978-4-636-96421-9
[曲目]ザナルカンドにて／ティーダのテーマ／ビサイド島／祈りの歌／旅行公司／リュックのテーマ／グアドサラム／雷平原／襲撃／浄罪の路／素敵だね／ユウナの決意／極北の民／決戦／Ending Theme／決戦 (Special Presents)／全16曲

ピアノコレクション
ファイナルファンタジーⅩ-2
定価[本体1,800円+税]
注文番号 GTP01096419　ISBN 978-4-636-96419-6
[曲目]風紋 〜3つの軌跡〜／ユウナのバラード／パインのテーマ／クリーチャークリエイト／ナギ平原／ザナルカンド遺跡／アカギ隊／「洞窟の悪夢」より／終焉／1000の言葉／エピローグ 〜再会〜／久遠〜光と波の記憶〜／全12曲

ピアノ・コレクションズ
ファイナルファンタジーⅩⅢ
定価[本体2,100円+税]
注文番号 GTP01097693　ISBN 978-4-636-97693-9
[曲目]ライトニングのテーマ - 閃光／FINAL FANTASY XIII 〜誓い〜 - サンレス水郷／ドレッドノート大爆進／ガプラ樹林／歓楽都市ノーチラス／ヴァニラのテーマ - 優しい思い出 - 帰郷／生誕のレクイエム／ファングのテーマ／回想 〜「スーリヤ湖」のモチーフによる〜／他 全10曲

ピアノ・コレクションズ
ファイナルファンタジーⅩⅤ
定価[本体2,000円+税]
注文番号 GTP01094560　ISBN 978-4-636-94560-7
[曲目]晦の夜の夢 -Somnus-／遠ざかる日々のこと -Sorrow Without Solace-／月華の円舞曲 -Valse di Fantastica-／暁の幻影 -Stand Your Ground-／月夜に謳う君 -LUNA-／闇に染む饗宴 -Veiled in Black-／綺羅星円舞曲 -Starlit Waltz-／ピアノのための幻想的夜夜 -NOCTIS-／他 全10曲

ピアノソロ　ピアノ・オペラ
ファイナルファンタジー Ⅰ／Ⅱ／Ⅲ
定価[本体2,000円+税]
注文番号 GTP01096418　ISBN 978-4-636-96418-9

[曲目]OP1 プレリュード〜オープニング・テーマ／OP2 メイン・テーマ／OP3 街メドレー／OP4 グルグ火山／OP5 マトーヤの洞窟／OP6 メインテーマ／OP7 反乱軍のテーマ／OP8 魔導士の塔／OP9 バトルメドレー／OP10 果てしなき大海原／OP11 クリスタルのある洞窟／OP12 悠久の風／他 全13曲

ピアノソロ　ピアノ・オペラ
ファイナルファンタジー Ⅳ／Ⅴ／Ⅵ
定価[本体2,000円+税]
注文番号 GTP01096422　ISBN 978-4-636-96422-6

[曲目]OP1 ファイナルファンタジー Ⅳ メインテーマ／OP2 離愁／OP3 幻獣を守れ!／OP4 赤い翼〜バロン王国／OP5 仲間を求めて／OP6 はるかなる故郷／OP7 魔導士ケフカ／OP8 愛のテーマ／OP9 ファイナルファンタジー Ⅴ メインテーマ／OP10 ビッグブリッヂの死闘／OP11 妖星乱舞／他 全12曲

ピアノソロ　ピアノ・オペラ
ファイナルファンタジー Ⅶ／Ⅷ／Ⅸ
定価[本体2,000円+税]
注文番号 GTP01090595　ISBN 978-4-636-90595-3

[曲目]OP1 Ami／OP2 更に闘う者達／OP3 星降る峡谷／OP4 The Man with the Machine Gun／OP5 独りじゃない／OP6 Liberi Fatali／OP7 花火に消された言葉／OP8 ハンターチャンス／OP9 Force Your Way／OP10 ローズ・オブ・メイ／OP11 オープニング〜爆破ミッション／他 全12曲

キングダム ハーツ

ピアノ・コレクションズ
キングダム ハーツ
定価[本体1,800円+税]
注文番号 GTP01084562　ISBN 978-4-636-84562-4
[曲目]Dearly Beloved／Traverse Town／Hand in Hand／Missing You 〜 Namine／1st Mov.:Sora - Allegro con brio／2nd Mov.: Kairi - Andante sostenuto／3rd Mov.: Riku - Scherzo e Intermezzo／Finale : Working Together - Allegro vivace／The 13th Side／Roxas／The Other Promise／他 全12曲

ピアノ・コレクションズ
キングダム ハーツ FIELD & BATTLE
定価[本体1,800円+税]
注文番号 GTP01085376　ISBN 978-4-636-85376-6
[曲目]Scherzo Caprice on a Theme of Never Land／Sinister Sundown／Wonderland's Surprises／Lazy Afternoons／Night of Fate／A Very Small Wish - Monstrous Monstro／Hollow Bastion／Medley of Conflict／他 全9曲

お求めは、全国ヤマハ特約楽器店・書店または弊社オンラインショップまで。装丁、価格、楽曲は、おことわりなしに変更することがありますので、ご了承ください。

株式会社ヤマハミュージックエンタテインメントホールディングス ミュージックメディア部

171-0033 東京都豊島区高田3-19-10　Tel. 03-6894-0250　URL https://www.ymm.co.jp

ピアノコレクションズ
ファイナルファンタジー VII

作　曲	植松伸夫 （うえまつのぶお）
ピアノ編曲	浜口史郎 （はまぐちしろう）
編集協力	本田聖嗣 （ほんだせいじ）
監　修	株式会社スクウェア・エニックス
発行者	堤 聡
発行所	**株式会社ヤマハミュージックエンタテインメントホールディングス**

ミュージックメディア部　　〒171-0033　東京都豊島区高田3-19-10

本書についてのお問合わせは、
株式会社ヤマハミュージックエンタテインメントホールディングス まで
Tel. 03-6894-0250（営業）

インターネット・ホームページ https://www.ymm.co.jp

造本にはじゅうぶん注意しておりますが、万一、落丁・乱丁などの
不良品がありましたらお知らせください。
2003 年 1 月 20 日　初版発行
2021 年 11 月 10 日　改訂第 6 版発行（第32刷）
© SQUARE ENIX Co., Ltd.
FINAL FANTASY is a registered trademark of SQUARE ENIX Co., Ltd.
© 2003 Yamaha Music Entertainment Holdings, Inc.
表紙デザイン：Banana Studio Inc.
製作：株式会社トーオン